飛段
ヒ・ダン

うちは
サスケ

綱手
ツナ・デ

角都
カクーズ

猿飛アスマ
さる・とび

奈良シカマル
な・ら

前巻までのあらすじ

木ノ葉隠れの里、忍術学校の問題児だったナルトはサスケ、サクラと共に忍者の仲間入りを果たす。中忍選抜試験の最中、大蛇丸の"木ノ葉崩し"が始まるが、火影の命を代償に一旦終結、五代目火影に綱手が就任した。

それから二年余。大蛇丸の力を求めるナルトを戦いでねじ伏せ里を去ったサスケは、止めるナルトたちは、サスケと再会を果たす。だが、サスケの圧倒的な力の前に、再びサスケを取り戻す力を得るために、取り逃がしてしまう。

ナルトはカカシが考案した驚愕の修業を開始する。一方、尾獣を狙う「暁」の二人組が火の国へ侵入。アスマ班が追跡を始めるが!?

NARUTO
ーナルトー

巻ノ三十六

第十班 (だいじっぱん)

それで
…

地陸は
どこに？

いえ…
実は地陸様の亡骸だけが どこにも見当たらないのです

あの—!…

アスマ隊長

何だ？
イズモ

コレって あまり言いたくはないのですが

……？

地陸さんは闇の相場では三千万両の賞金首になってます

…"暁"の奴ら

…おそらくな

…換金所か…

…つまり敵は死体を持ち運んでるって事っスね

パラパラ

イズモ…換金所の場所は？

………

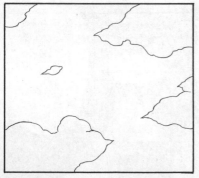

一番近い場所を含め全部で五か所だな

これで他の
四か所には

すぐに近くの班が
駆け付けます

！

お待ち下され
猿飛アスマ殿

よし！
オレ達も
急ぐぞ

これから戦われる
あなた方を

どうか少しだけ
折らせて下され

・・・・・・・・

滝切れた
ー！

マジ切れ
たぞー！！

ドドドドドト

ふぅー・・・

良くやった

これで次からは
オリジナルの
新術開発に入る

おボボボボボボン

ゲホッ

ゲホッ!

うっ…

タ

タ

タ

は…腹…
へったアア
ア………

少しやりすぎ
たか…!

大丈夫か!?
ナルト！

火寺

本当に大した奴だよ
…お前は

その腰布の…

……

ありがとう
ございます

アナタも
地陸と
同じく

元
"守護忍十二士"
の賞金首

気を付けて
下され

……

14

なーに
ご心配には
およびません
よ！

オレの首は

地陸より
さらに五百万両高い
ですから

そう簡単には
やらせませんよ！

アレ？

看板娘の
アヤメさんは？

一楽

酒酒

ラ

メン
800

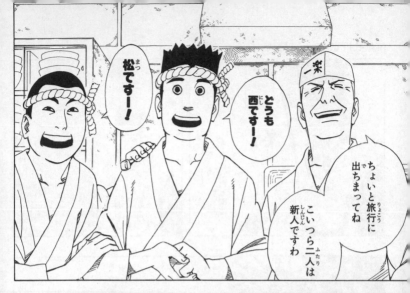

松ですー！

とうも西ですー！

ちょいと旅行に出ちまってね

こいつら二人は新人ですわ

ま…まだか

ラ…ラーメン…ちゃん

きたアー‼

おまちピーさんですー！

とんこつ味噌チャーシュー大盛り！

一楽

チャプ

いただきま——

バカヤロー！
指が入ってた
じゃねーか！

ゴキ

イタッ！

…あァ？

ああぁ

！

ドン

すんませーん

もういい！

西！
すぐに
新しいのを
お出ししろ！

そんな
よくありそうな失礼
かましてんじゃねェ！

あつ！
西くん
あつ！

スベったー！

松くん ボク
おもいっきり
スベったー！

ちゃんと床
掃除しねーから
そうなんだ！

つたく
使えねーな
お前たちゃ！

うわあああああ！

一楽

ある
あるー！ じゃ済まされ
ねーぞ コラ!!

まあまあ
テウチさん
落ち着いて

よくある事
じゃないですか
アハハ

イタッ！ ぐあっ!!

ラ…ラーメン…

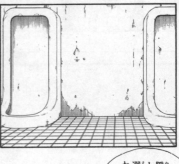

こちらです

ドッ

隠し扉にトイレを選ぶこたァねーだろーによ

間違いないあの地陸だ…

今回は大物だったな角都さんよ

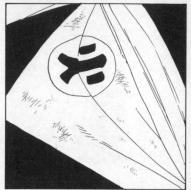

ああ…

くせーなオイここ

さっさと行こーぜ
角都（カクズ）

持て金を数える

こんなションベンの臭いだか死体の臭いだか分かんねーとこ二度とゴメンだぜ

ケッ！オレは先に外に出てるぜ

一楽

22

今、こんなコユいものは
食えん…

よーしィ！

コレ食ったら
すぐに修業
だってばよ！

いや…
その前に少し
説明しておきたい
事がある

？

ナルト…
お前に面白いものを
見せてやるよ…

ナルト
お前に面白いものを
見せてやるよ…

？

面白い
もの？

ラーメン60

食休みも
兼ねて色々と
説明したい事も
あるしな

え〜〜！
またややこしい
説明かよ〜！

大丈夫よ…
オレは
口が上手いから

お前を上手く
ノセてやるよ

ラー

まいど
！

ヤマト
コレよろしく

こういうのは普通
先輩が
持つもんでしょ！

え—！

自分が認めた男に
先輩も後輩も
無いよ

ま…
後輩の中で
オレが認めた男
ってのも
お前くらいだけど
…

まあ でも確かに ここはオレが ―…

いえ！いえ！ ボクが 払いますよ！

シシシシ

確かに 口が上手いってばよ

何見せて くれんの？

まあ 待て…

物事には 順序ってもんが ある

まずは 確認だが…

？

この修業を始める前に

チャクラの"性質変化"と…もう一つ大切なテクニックを説明したろ？

あ！

えっと……

アレだろ

覚えてるか？

………………

もう一つは"形態変化"だ

チャクラの形を変化させる

へへ…

…いいか

忘れたって事で話を進めるけど…

千鳥で説明したろ

あの術はチャクラを雷に"性質変化"させるだけじゃなく

放電するようにチャクラを"形態変化"させて攻撃の威力とその及ぶ範囲を決めてるってな

28

まあ"性質"と"形態"の両方の変化をセットで扱える忍は稀だがな

いいかい

チャクラに"性質変化"だけじゃなく"形態変化"を加える事で

忍の攻撃力は飛躍的に高まる

そしてお前はすでに"形態変化"も持ってる

さっきまでの修業でお前は"風"の"性質変化"を手に入れた

…螺旋丸…

その意味で螺旋丸は千鳥とは少し違って

"形態変化"だけを極めた術と言える

……

そうだ

よっしゃ
ああ!!

これなら
あっちゅー間に
新術が出来そう
だってばよ!

じゃあ オレってば
もう二つとも持ってるって
事かァ!?

ま…
そういう事に
なるな

なんだか
カンタンに
いけそう
だってばよ！

……………

……………

！？

それなら
オレは
千鳥を開発する
必要は
なかったよ

フッ…

ハッ！

これが
お前に見せた
かった

面白いものだ

カ…
カカシ先生も…

螺旋丸
出来たのか…!?

オレは
螺旋丸の
"形態変化"に

"雷"の"性質変化"を
組み合わせる事が
出来なかった

あぁ…
だが
ここまでだ

というより
才能とか
センスと
言った方が
いいかも
しれない

"性質変化"と"形態変化"を
組み合わせるには
ものすごい技術が要る…

………

…!

この術を考案した
オレの師でさえ
そうだった

…ここまで
だったのは
オレだけじゃない

そうだ

四代目火影でさえ

それは出来なかった

ただの"形態変化"だけで会得難度はAランク

ここまでならオレでもどうにかコピー出来る

だが問題はその先だ

四代目は"形態変化"を最高レベルにまで高めた状態を作り上げた

それが螺旋丸だ

…んじゃ螺旋丸は

まだ途中段階の忍術だったって事か…？

もともと螺旋丸は四代目が自分の"性質変化"を加える事を前提として開発した術だった

34

まだ見ぬその先の忍術は会得難度Sランクか

それ以上かもしれない

それどころか そもそも不可能かもしれない…

そういう事になるね…

・・・・・・・・・

これから先は教わるんじゃなくお前が見付けるしかないんだ

なぜ…

なぜこんな事をお前に話すか分かるか？ナルト

・・・・・・・・・
？

四代目火影を超える
忍はお前しかいない
と…

オレは
そう信じてる
からだ

………

ま…話は
これくらいに
して

もう少し
食休みしてから
修業に入りますか

いや…

さすがですね
カカシさん

やっぱり
口がお上手だ

本当にそう信じてるのさ

…………

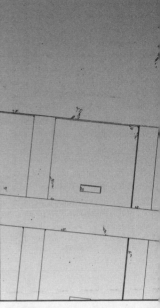

またすぐに次の奴をお願いしますよダンナ

悪いが当分は来ない

"人柱力"を探す為に木ノ葉へ行く

一つアドバイスしておきますよ

あの連れの方はやめといた方がいい

金に縁遠い顔してますよ

・・・・・・

…分かってる

…アスマ先生よ

…………

何だ急に？

地陸って人は先生とどんなカンケーだったんすか？

ヘビースモーカーの
アンタが
二日もタバコを
吸ってねェ

アンタがタバコを
やめてる時は
決まって何か
あった時だからさ

よく見てるな…

お前に心の中を
見透かされる
ようじゃ
まだまだ甘いな
オレも

こんなの
三代目が亡くなった時
以来だ

…………

いや
将棋
指してる時は
いつもバレバレ
なんすけどね

…………

…………

…………

40

地陸とオレは
"守護忍十二士"の
仲間だった…

そうだな

お前とチョウジ
みたいなもんだ

…………

…………

…………

禁煙なんて…

そう
続かないもんすよ

あいつは殺せない

禁煙は
そう続かない
……か

………

ハハハ…
…

確かに今までが
そうだったしなァ

………！

別に地陸の事で
禁煙をした
わけじゃないよ

…シカマル
お前が心配して
くれるのは
嬉しいが…

そんな事より

"暁"は地陸をやったほどの奴らだ

相当の能力を持ってるはずだ

気を抜くなよ

確かにあいつは金に縁遠い

だがあいつ以外オレの連れは務まらない

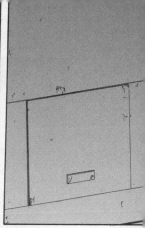

それなりの訳がある

訳ねェ…

今までオレと組んでた奴らは皆死んだ

…？

オレはトラブると
すぐに殺意が湧く

バタン

だが あいつは
殺せない…

ド…

それが訳だ

…？

バタン

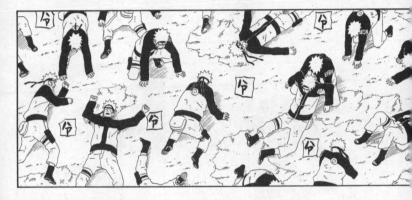

やっぱり多重影分身（たじゅうかげぶんしん）はバテが早（はや）いな

これに "風" のチャクラを組み込む

ム！

ツ

うわっ！

こ……
これって
無理だろ

大体"螺旋丸"だけでも
とんでもねェ集中力が
要るってのに…

さらに
"性質変化"なんて…

……！

タ

タ

ムクッ

…これじゃ右を見てる時に左を見ろって言ってる様なもんだってばよ…！

くっそォ！

ギュィィ

ゴポポポポ

ドボボボ…

集中しろ…二つのチャクラを擦り合わせる様に…

ボワッ

バキ

おい！
テンゾウ！

分かって
ます!!

ゴッボッフッボッボンボンボン

こんな事続けてたらナルトは…

それにアレを何度も止めるなんてボクには…

イヤこれしか方法はないんだ

ナルトの術が完成するかどうかはお前にかかってる

・・・・・・・

分かりました…

54

あーくせー！

あんなクソだめに五分（ふん）もいたら服にニオイが染（し）みついちまう

角都（カクズ）遅（おそ）かったな

！

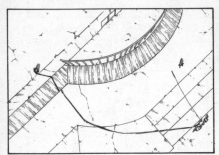

まずは一人<ruby>一人<rt>ひとり</rt></ruby>

何だ<ruby>何<rt>なん</rt></ruby>だ
てめーら？

ハアー
痛<ruby>痛<rt>い</rt></ruby>って…

・B型の14才。
・中忍です。
・創を作るのが特意で顔さえ見れば誰にでもその人に合った創を作ってくれマス！
・イカしてるピアスは自分の力を・・・

左側リボンはおろしているとハヤラすべてあるのでナイフ結んで見せなきゃダメ、ゲタは高め。

顔は大人っぽいのに背が低いのに悩みデス○●●

身長：145.2cm
体重：35kg

初めて見たガンドリーを親子だと思った・・・○

オトメらしく、後ろの帯はリボンむすび♡♡♡

（兵庫県 カブト大スキ☆さん）
○単純にデザインが気にいりました。腰あたりのデザインが好きです。

ゼンマイ・マワル

木の葉 下忍 15才

木の葉でただ1人のサイボーグ忍者

語尾は「〜ロボ」
IQ200の頭脳

右手はスーパーバルカン

コンセント

どんな忍具もはかえちゃうぞ

握力200キロバリの手

時速50km/hをたたき出す足

なぜかケツがお気に入りな♪

2時間の充電で約12時間の活動が可能

（福岡県 なかりょうさん）
○NARUTOの世界観にはまずありえないだろコレ！ってところが逆に気に入りました。

名前
野牛牛麦
20才 男

キバとライバル的なそんざい

頭の羽ははりがついてできになぐろ

牛の毛皮

ひたいあてで牛の面

牛のぽ

名前
牛札 オス
口笛をすると出てくる

（佐賀県 古賀範賢さん）
○牛がモチーフになりすぎてるあたりが好きで選びました。胸の「暴」とかも好きです。

（千葉県 小林シズカさん）
○どっかん靴でサッカーしてるキャラに、なぜか妙な親近感を覚えます。オレ小学生の時によくやってたな・・・どっかん靴で。

！

・・・・・・・・・

はぁー
マジかよ・・・

あんなくせー
換金所に
また行かなきゃ
なんねーのかよ
・・・

？

ガタッ

・・・地陸（ちりく）・・・

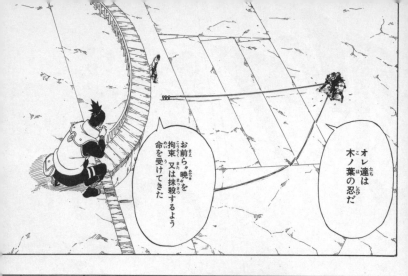

オレ達は木ノ葉の忍だ

お前ら"暁"を拘束、又は抹殺するよう命を受けてきた

お前ら"暁"は二人一組（ツーマンセル）で行動する

まずは一人を片付けてからもう一方を拘束するつもりだったが…

さすがにいい能力を持ってやがる…

ズッ

もう一人（ひとり）はどこだ？

てめーら狙う順番を間違えたな

これが"暁"か…

何てふざけた能力だこれじゃ影縫いも…

術がハズレた！

！

ピュタ

！

コテツ！
イズモ！

下がれ！！

やはり
あの真ん中…

珍しく金に
縁があったな
飛段

角都…
てめーは
手ェ出すな

こいつら
オレの儀式用だ

金はてめーに
やる

ヒュン

それなら
いいだろう…

ただ
気を抜くな
死ぬぞ

だから…

ズチャ

それをオレに言うかよ

殺せるもんなら殺して欲しーぜ

……！

まぁ…無理かァ！？

オレが突っ込む…

隙をついて不死身男を影縫いで縛れシカマル

少しの時間でいいすぐに首をハネて動きを止める

それじゃリスクが高過ぎっすよ

アンタらしく無い…

私も一緒に…

アスマの
こんな顔…
初めて見る

分からないのか！
それが今打てる
最善の手だ！！

奴らはオレより
はるかに
つ…強い…！

イズモ　コテツ
お前らはもう片方の
"暁"に気を配りつつ
シカマルの護衛だ

相手の力が
分かってるなら
なおさら…
ここは一旦退いて
作戦を立てるのが
…

あいつら相手に
簡単に退かせて
もらえると思うな

戦意無く
逃げようものなら
オレ達は全滅する
…

……

そうなれば
木ノ葉のリスクは
さらに高まる

"敵陣突破の先兵"だ

たまには
こういう指し方も
出来ないとな…

イテテテ…

あーイテェ！

グサグサ刺しやがって痛てーなてめーら…

人の痛みを知らねェクソヤローには

神の裁きが下るぜ

…"棒銀"なんて…

アンタには向いてない

………

お前がいるんだからな

へへ…ただの捨て駒にはならねーよ

くっ！

ピンポイント攻撃が当たらないなら…

火遁・灰積焼!!

フン…

裁きが下ったな

ジュウウウゥ…

ぐくっ…

!?

どういう事だ？

オレの腕まで…

…いや…

…奴の術か何かか？

どうだ？
少しは他人の痛みが理解出来たか？

すでにてめーはオレに呪われた…

これより儀式を始める…

さアァ!!

オレと一緒に最高の痛みを味わおーぜェェ!!!

これで 三千五百万両も
いただきだ

………
これって…
まさか…

………

どうして
アスマ隊長
が…

火傷を?

82

！

ズザザッ

ブオン

ぐあっ！

ゲハハハハァァ！

…てぇだろ
オオ！？

痛みを
通り越して
快感に変わるゥ
！

他人が死ぬ時の痛みが
オレの身体の中に
染み込んでくる！

クク…だが
あの痛みは最高だ
…

急所はこんなもん
じゃねーゾォォ！

やっぱりおかしいぞ…

アスマ隊長…左足を押さえてるよな…

………

…奴が自分で突き刺した方の足だ…

…そうか

！

すでにてめーはオレに呪われた…

ただし…
奴の方は不死身…

ハハア！
次はどこの痛みを
味わいたい？

――ん
――！？

なるほど…
奴の体とオレの体は
何らかの仕掛けで繋がってる…

つまり
体に受けたダメージも
同じ様にリンクする…

スッ…

それとも
もう終わりにするかァ!?
なァ!?

シカマル！
物理攻撃の
"影縫い"は
ダメだ

"影首縛り"で
奴の動きを
止めろ！

急げ!!

もうやってる！

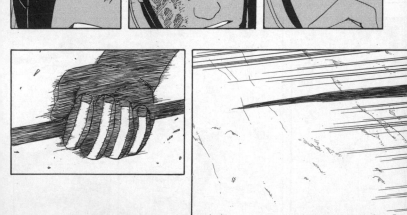

死ねエェ!!

させるかァァァ!!

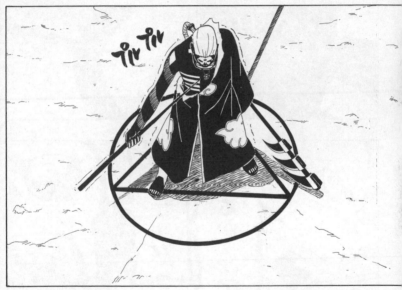

ポタ ポタ

プル プル

チイ…

ハァ

ハァ

フン…
こんなもん

…………

よくやったぞ
シカマル！

くっ…

まだ十分程度だ
増援が来るのには
まだ二十分は
かかる…

そうか…

イズモ
バックアップを
要請してから
何分経ってる？

…………

効果が持続するタイプの術を解くには相手を殺すのが定石だ…

なのにそれが出来ねェとなると…

…くそ…！

どうすりゃいい!? あいつを殺せばアスマ隊長も！

術には必ず何かしらのルールや用いるためのリスク穴がある…

まずは冷静になって相手を分析するんだ…

シカマルに助けられたな…

このスキにオレはこの術を解く術を考えねェと…

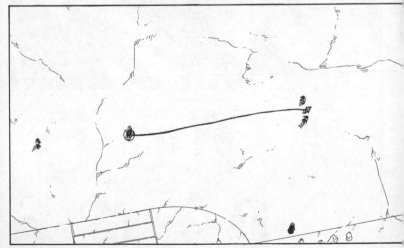

アイツ相手に
"影首縛り"は
そうもたん…

拘束時間は
わずかだ…!

長引く様なら
オレもやるぞ…

大金を
逃す訳には
いかんからな

てめーは引っ込んでろって言ったろーが角都！

オレ一人で十分だぜ！

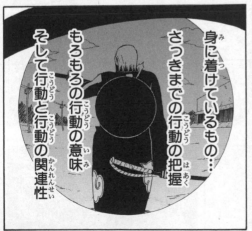

身に着けているもの…

さっきまでの行動の把握

もろもろの行動の意味

そして行動と行動の関連性

口調のパターン

発言…　性格…

その全てから導く事の出来る

術についての仮説の作成

その確率と選択…

神の裁きが下るぜ

神

裁き

…すでにてめーはオレに呪われた

これより儀式を始める…

呪い

儀式

これで全ての準備は整った！

準備

シカマルの奴っ、
何か考え付いた
よーだな。

何か分かった
のか?
シカマル?

術をかけながらの
この状態でよく
そんな分析を…

あぁ…

シカマルは
一瞬で十手先を
一二百通り思考する
素早い分析力と

そこから
最善手を選び出す
"勘"を備えてる

行くぜ

アスマ隊長…

95

拷問忍者
敵を眠らせて夢の中から情報をとってくる。ほぼ100%で情報をとれる。しかし敵のイタクラを相手を眠らせるため自分が眠ることが出来ないでいつも目の下にクマが上手にたのまれるとめっちゃイケない寝顔をするけどシブシブOKしてくれるいい人。メタメタで報酬なり料は高く、イジョ！？けどリスクが高い…。たまにどーでもいい人とかうらんでる人を眠らせてその人の大切な個人情報をぬきとったりしてなにも言えないようにする。敵に回すとコワイマクラをバッグにしている。

名前 ネムル
16歳
155cm
くらい
女の子

（愛知県 ダイコンさん）
○上忍から仕事を依頼されたときめちゃイヤな顔をするってのがいいっす！そういうところ、キャラが濃くて好きです。

スポーツ大好き
戦闘嫌い

・ソラ
・一部分の気温と水を操る。
→ジャージ
・平和主義

（福岡県 ネイチャーさん）
○これって忍者か？と思わせるあまりにも忍者っぽくないところが気に入りました。

明日えみ

いっつもうるさいほど元気！！『笑顔は人を明るくしてくれる』いつも笑顔。得意なことは人を笑わせること。あのアホなシリさえも笑わせる……カモ？本当に忍者！？という疑問だが忍者です！！でも任務よりも野をフラフラしている方が楽しいらしい。ゆえ人にかぎってキズとかをつくるけど…。

（島根県 一葉さん）
○特に忍者らしいところはありませんが、とにかくこの笑顔がたまりません！すごく心がなごみます。

茶摘
チャツミ

→茶柱で前日の占いをあやつ。

期間限定で出没。湯のみの中から狙われてし湯のみの中に入っていく。大きな茶せんで苦茶や粉末の茶を出し、敵がうろおろ待たうろうかありんやり一服させてしまう。しかし、雨がすむとトットと帰ってしまう。気むずしいとこでお茶をいれる茶摘の名人。

ハガキ
には最もおそろしい仕かを使う。

（広島県 シネマ館さん）
○無理矢理一服させてしまうってところが気に入りました。それに色のデザインがすごく好きです。

🐾325：後は無い…！

あの影の術…
対象者に自分と同じ動きを
強制するのか…

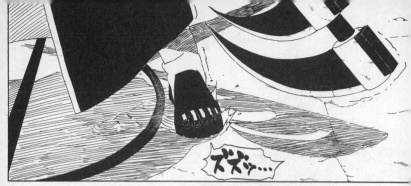

ズズッ…

後は無い…！

…コイツ…
この術の正体を

あの地面に描かれた妙な図の中から奴を外へ引きずり出す…！

そうすりゃ奴の術…

呪いが解ける

どうするんだ!?

どういう事だ？

……あいつのデカい武器

…三つも鎌が付いてる

形状からしてアレは必殺の一撃を狙うというより攻撃範囲を広く取り

とにかく相手に当てる事で大なり小なりの外傷を与える事を目的に作られてる

つまり…手傷一つ負わせられれば

それで確実に相手を殺せる術を持ってるって事だ

？

それが"呪い"か？

しかし…敵の手傷と呪いとどういう関係がある！？

……

呪いたい相手と
リンクするには

その相手の血を
…自分の
体内に取り込む
必要があるんだ

血だ…

…なるほど

それで相手を呪う事が
出来る

…そうか
相手に外傷を
与え

…奴が
血を舐めるのを
オレも見た…

鎌に少しでも
相手の血が
付着すれば
…

もう一つ

…？

…大したガキだ

血を舐めた後体が変色したその発動条件は分かりやすかった…

だが それだけじゃあない"呪い"の発動にはもう一つの分かりやすい条件があるのさ

さっきあいつはアスマの火遁の術を無視して喰らいながらでも

あの地面に描いた図の中へ急いで戻っただろ…

あいつがあの図の中に居て初めて"呪い"の術が完成する事が推測出来た

ようやくその"呪い"の術が完成する事が推測出来た

そしてその図の上で"儀式を始める"と言い

"準備が整った"とホエた事で

グルグル

アンタ…

わめきすぎ
なんだよ

ドド

…このガキィ…

………

グゲゲッ

ドズ…

………

ここまでの子とは…

………

このオオォ…ガキャー!!

てめー!後でギタギタのスタスタのグチャグチャにしてやるぜェェ!!

後なんてねーよ!!

くっ!

グワ…

ズバ…

!

……

術が解けたか確かめる!

よし!

スッ

出たぜ!

よしィ！

…もうこれが限界っすよ

もう持ちそうもない

良くやった…シカマル

くっ…

角都！
手を貸せェ!!

ドド…

コラ!!
さっさと
しろ!!

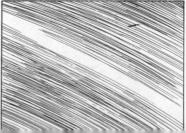

だから
気を抜くなと
言ったのだ…

やったぞ！

フ
！…

110

やった…

……………

手助けが
欲しければ

もっと早くに
言うべき
だったな

あと一人か…

ハァ

ハァ

つーか おめーが
遅せーんだよ
角都！

てめェ
ワザとだろ!!?

それに…今
調子に乗って
ホエれる立場か？

最初に手を出すなと
言ったのはお前だ…

!!

…へ…まぁ確かに
手を出すなって
上から物を言ったのは
オレの方だが…

別にてめーを
バカにしたり
軽蔑してる気持ちは
無ェ…

………

112

角都ゥ…

体ア…持って来てくんねーかなァ…

こっちの方が軽い

コラ角都！体だ!!

ドー…

体の方を持って来いっつったろーが！

デレン

亀と鶴

口寄せ動物

亀プロフィール
1000歳♂
スピード、のろい
技、からにこもる

鶴プロフィール
10000歳♀
スピード、超速い
技、つつく、空を飛ぶ

（滋賀県　細谷侑加さん）
○亀の技…コレって技になってんのか？ってとこが色々想像できて楽しいです。ところで鶴が千年亀が万年じゃなかったっけ？アレ…違うか？

暗灯

（東京都　芹澤光季さん）
○なんかかわいいです！フードの中が気になるな…いったい何なんだ？…気になる…とにかく気になる。

神電雷花（♂）

（福岡県　黒パグさん）
○このキャラの瞬間移動術は面白い！納得です。デザインも一回見ただけでビビビッ…ときました。…苦しいかオレ？

九志 キョウカ

（愛媛県　くいなさん）
○美容師さんキャラは他にも多数ハガキが届きました！その中でも自由自在に髪を操るのがよかったです。

☝326：望んだ痛み…!!

こいつ…
まだ生きてやがる

…………

バカヤロー！…
この首の痛みは
そりゃハンパネェ…

どうみてもコレ・
ケガのレベルじゃ
ねーからなー…

痛がるなら
首の方を痛がれ

痛てェ…いてて…
オイ！

角都
髪引っ張んじゃ
ねーよ！コラ！

ナンバー326：
望んだ痛み…!!

むちゃくちゃ痛えぞ！コラァァ!!!

首なんか斬りやがって！超スーパー激痛だクソヤロー!!

…もうどう解釈していいか分からんな…あれじゃ…

なんだアリャ…

……

116

あの状態で生きていても

行動を起こす体と繋がってなければ術も無意味

不死身でも…ああなりゃ何も出来ねェ

シカマル…！

くっ…

…確かに…

じゃあ残るはあと一人…

もうシカマルは限界だな

…………

甘いな…

…逆にここは逃げるチャンスが出来たってことにもなる…

アスマ隊長も傷を負ってる分"暁"を二人動けなくしたこっちが有利だが…

ここからは
オレもやる

一度手を貸せと
言った以上

ゲイ

げほっ！

ぐほっ！

ドボッ

ドボッ

首が！

！？

イテテ…

チィ…
分かったよ…

あまり動かすと
またもげるぞ

あーやっと
くっついた

ゴキ
ゴキ

くそ…
次へと…
次から…
何て能力者どもだ…

…くっつき
やがった…

…オレたちゃ
…いったい…
何と戦ってんだ?

ハァ!

儀式もそうだが
お前は戦闘も話も
とにかく
タラタラ長い

賞金首は
お前がやれ
それ以外は
オレがやる

くそ…

ハァ

ハァ

水遁・水飴拿原！！

122

...そう何度も同じ手を...

ゲハハハァ!!

クク...

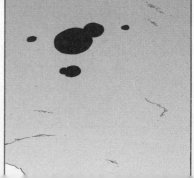

ぐふっ…！

同じゃねーよ
バーーカァ！

くそォ…

ぐっ…

グホッ

グホッ！

やっと
あの痛みを
味わえる…

てめーを殺す
痛み

終わりだ

やめろ！

くそオオ！

…隊長オオ！

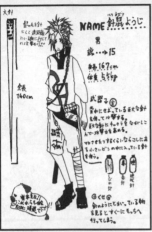

NAME 釘賀ようじ
男
歳…→15
身長 167cm 体重 58kg

武器 背中にしょっている巨大な針を使って攻撃する。

（兵庫県 ●miku●さん）
○デザインがとにかくカッコイイ！
先端恐怖症のボクはコイツ苦手ですけど（汗）

~夢見 ひつじ~

ウール100%
静電気
バチバチ

（愛知県 モコモコさん）
○術のアイデアがキャラの顔ともマッチしていて、よく考えられたキャラですね。いいっスよ！

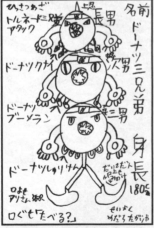

ひっさつわざ
トルネードアタック
上忍
長男
名前 ドーナツ三兄弟
次男 ドーナツクナイ
三男 ドーナツブーメラン
身長 180㎝
ドーナツしゅりけん
ロはどこでしゃべる？

（静岡県 ドーナツさん）
○これってアレだよね…アレ…ダンゴ○兄弟の…。ぜったいそうだよね…ね！
…でも身長デカいなコイツら！

髪ノ毛糸

ちょっぱか 天然

（愛知県 オン子さん）
○髪当ての位置の付け方がキャラに合ってて、とても面白いっス。髪型もキャラに合ってていいね！

ナンバー
327

‥絶望の中に…

ゴフッ

アスマ…

ぐっ！

こっちもすぐ
終わらせる

トボッ

こっちは
終わったぜ
角都

ドッ

このヤローが！

…のヤロー…

何だ
コリャ
!?

目くらまし
か

ぐっ！

パシ

パシ

ザッ

シカマル
助けに来たわよ

シカマルを安全な場所に

ハイ！

いの…

増援か…

ぞうえん

チィ！

144

あぁ……
それより…
アスマ隊長を…

大丈夫か？

アスマ!!

アスマ先生!!

！

まだ かすかに 脈がある！

チョウジ！
すぐにアスマ先生を
木ノ葉病院へ!!

いのは同行して
医療忍術で
少しでも回復
させるんだ！

急げ!!

分かった！

うん!!

賞金首は
渡さん

！

146

どんだけ
ジタバタしようと

お前らは
神に捧げられる
贄だ

くそ……

オレ達が食い止める

そのスキに
アスマさんを運べ！

もう少し
待ってくんねー
かなァ…

これからが
いいとこなんだ
ホント

！？

だから言ってんだろ…
もう少しだけだってよ！

飛段 止めろ

チィ…

またすぐに戻る…
覚悟はしておけ

……………

……………

フン…
世話の焼ける奴らだ…

NARUTO オリキャラ優秀作発表

今回のNARUTOオリキャラ最優秀作は、
（神奈川県 水壱さん）に決定!!

水壱さんには岸本が描いたイラストの複写に
サインを入れてプレゼントします。楽しみに
待っててね!
というわけで、引き続きオリキャラ募集中な
ので、どしどし送って下さいね。待ってます!
　　　　　　　　　　　※募集は終了いたしました。
宛て先は
〒119—0163
東京都神田郵便局　私書箱66号
　　集英社JC
　　"ナルトオリキャラ係"まで!

※ただし送るのはハガキだけに限ります。
　封書じゃダメだよ♡

【鍛冶 カヌチ】

◀岸本がイラスト化したのがこれだ!!

○獅子舞の面が
かっこよかった
です。かじ屋ら
しいセンスがス
テキでした。

☆なお、デザインはオリジナルに限ります。そしてキャラは身体全体とキャラの名前を描いて下さい。
●応募されました交票、イラスト等は、一定期間保管されたあと廃棄されます。保存しておきたい場合は、
あらかじめコピーをとってからご応募下さい。また、掲載時に、名前や住所等を秘匿したい場合には、その旨を
明記して下さい。ご応募いただきました交票の著作権は、集英社に帰属します。

ナンバー
328

第十班

行くぞ
飛段
ヒダン

あのクソリーダー
今度
呪ってやろーか
ったくよー！

先生！

！

アスマ先生
！

ゲホッ

いったん退く気か…！？

どういう事だ…？

そいつはもう
死ぬからよー

だからァ
てめーら
オレらが
戻って来るまで
じっとしてろ！

いの！
チョウジ！
アスマを
連れて行くぞ！！

151

じゃあな
クソヤロー共！

チョウジ！
いの！
私は医療忍術を！
早くしろ！

うん!!

！

…もう
いい…

…もう
オレは
ここまでだ…

それぐらいは…
自分で…
分かる…

うるせェ!
アンタはもう
黙ってろ

へっ…

お前達も…
分かってる
ハズだ

いの…

急所を
四か所も…

これじゃ…
もう…

……………

三代目の…
した事…

今になって…
やっと…
分かる気がする
…

オレは…
いつも遅すぎる…

最後に…ゲホッ…

いの…チョウジ…シカマル…お前達に…

言っておきたい事がある…

先生もう喋っちゃダメだよ！

チョウジ！

…いのも…

…！

！

アスマ先生の最後の言葉だ…

しっかり聞け

…………

…はい…

…いの…

お前は気が強いが…面倒見のいい子だ…

チョウジも
シカマルも…
こいつら不器用だからな…

頼む…

…はい…

それから…
サクラには負けんなよ…

忍術も恋もな…

はい！

……

156

チョウジ…

お前は…
仲間想いの
優しい男だ…

…
だからこそ…
誰よりも強い忍になる

自分にもっと…
自信を持て…

…うん…

それと…
少し
ダイエット
しないとな…

ムリかも
しれないけど
ガンバってみる

へ…

そして…
シカマル…

まぁ…
めんどくさがり屋の
お前は…

嫌がるだろうが…

ゲホッ…

…お前は
頭がキレるし…
忍としての
センスもいい…

火影にも
なれる…
器だ…

そういや…

"玉"の
あの話…

お前に一度も…
勝てなかったな…

将棋…

…………

耳貸せ…

誰だか…
アレが

…教えてやる

なら…
"玉"は誰だか
分かるか?

158

フゥ——

ゲホッ

ゲホ

ゴホッ

今日から第十班の担当になる猿飛アスマだ

厳しくするから覚悟しろよ！

あ！わりィわりィ

いきなり泣くなよ

まだ厳しくするって言っただけだろ

煙が目に染みるんだよ!!

チョウジ君…君は遠慮という言葉を知ってるかね…

三百両は行ったな

このままじゃ
デ…
うぐっ！

食った！
食った！

やまなか
花

紅先生によろしくね！

なっ！
なぜ!?

誰にイ
——？

いや
別に誰でも…

めんどくせーけど…
こんなの十分ありゃ
カンペキっすよ

ルールは
この本読めば
大体分かる

後はやりながら
だな

ま…
負けた…

今回の中忍試験で
中忍になれたのは
お前だけだ

手ェ抜かなくて
いいっスよ…
マジで

担当上忍として
オレも
鼻が高いぞ

あとは
いのとチョウジ

お前達も
ガンバレよ

162

これで晴れて第十班は全員中忍だ

良く頑張ったなチョウジいいの

そしてここでオレもお前らの担当から外れる

これからはお前ら一人一人が隊長になり新たなチームを率いる事になる

このピアスはオレからの中忍祝いのプレゼントだ

オレ達が第十班のチームだった事を忘れないようにな！

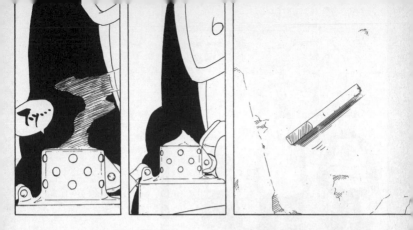

先生ーっ!!

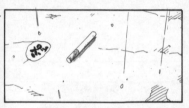

忍らしい最期だった…

ぐっ…

うっ…うっ…

ゲホッ

ゴホッ！

………

…やっぱり…

タバコは
キライだ…

煙が目に…
染みやがる…

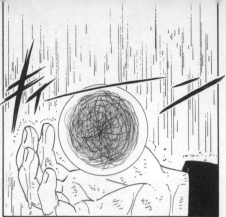

ゴゴゴゴゴゴ

ヤマト隊長ヘルーープ!!

おい!みんな気をつけろ!

また九尾化してる奴がいるってばよ!!

ダッダッ

🐾329：その目的…!!

大丈夫か？

・・・・・・

・・・・・・

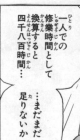

螺旋丸に"風"の"性質変化"を加える修業に入って丸一日…

影分身は二百人程度

一人での修業時間として換算すると四千八百時間…

…まだまだ足りないか

・・・・・・

…なんか永久にできねー気がするってばよ

けどこの修業…

チャクラコントロールがムズすぎて影分身は二百人が限界だってばよ

そもそも螺旋丸を作るのにすっげェ集中力が要んのに…

その上"性質変化"なんてムチャだってばよ

…いつになく弱音吐くね

お前らしくない

それでもお前はオレの知ってるうずまきナルトか?

…でも今回ばかりはムリだってばよ…

それでもやらなきゃな

だったらカカシ先生は右見てる時に同時に左を見ろって言われて出来んのかよ!?

確かにそりゃ無理だ

…………!

なら出来ない事もない

なるほど…そういう事か…

!?

右を見ながら

左を見るってのは…

影分身の術！

174

こういう事だろ？

…………

…………何か分かったの？

そっかァー！

"三尾"が
終わり次第
"二尾"も封印
する

これから
六日はかかる
覚悟しておけ

六日かよ…
長げーな！

こっちは
雨だぜ

飛段…
お前が
言うな

木ノ葉の奴ら
もう少しで
皆殺しに出来た
んだぜ

無神論者どもに
ジャシン教の存在を
知らしめてやるところ
だったのによォ！

木ノ葉は
無神論者では
無い

先代を神とし
"火の意志"を
思想に
行動する

まあ そんなものは戦う為の大義名分だとも言えるがな…

てめェ…そりゃオレを馬鹿にして！言ってんのかあァ!?

いや…お前の戦う理由を別段馬鹿にしたつもりは無い

オレも同じ穴のムジナだからな

戦争の理由なんてのは何でもいい

宗教 思想 資源 土地 怨恨 恋愛 気まぐれ…

どんなくだらない理由でも戦争するだけの理由になってしまう

戦争は絶対に無くならない

理由は後付けでいい…

本能が戦いを求める

誰もてめーの長ったらしい話は聞いてねーんだよ！

オレにはオレのやり方ってもんがある

オレ自身の目的もある

全てを組織に委ねるつもりはねーからな！

178

"暁"という組織に
属している以上
その目的にも
協力してもらう

"暁"の目的が
達成されれば
お前の願いも
すぐに成就するだろう

フン…
あれこれ
格好つけた
ところで

"暁"の目的は
ただの"金集め"に
なってるじゃねーか！

…が
本来
"暁"の目的は
別の所にある

その目的の為に
莫大な金が
要るんだ

そうだ…

確かに
当面の目的は
金だ

角都と同じ
だ…

戦う理由で
一番嫌いなタイプ
だぜ!!

チィ…

"暁"の最終目的は
段階を踏む事で
達成出来る

それは
全部で三段階…
まず第一が金だ

……
すねてるのか？

フ…
なら そろそろ
教えてやろう

オレは
トビの次に
新入りだからな

オマエの口から
詳しい事も
聞いたこともねー！

オレの
いねーとこでコソコソと…

そして第二段階が

その金を元手に忍世界初の戦争請け負い組織を作る事だ

…オイオイ
それじゃ他の忍里のやってる事と同じじゃねーか

依頼をこなして報酬を得るって事だろーが

てめーは召し抱えてくれる国も無ェ小さな里の長にでもなりてーのか？

くだらねェ

フッ…
まるで違う…
国お抱えの里とはな

順を追って説明してやる

強力な忍里を持つ国にとって"忍ビジネス"は

その国の収益において大きな役割を担っている

忍里は国内外の戦いに参入する事で莫大な金を稼ぎ

国の経済を支えていると言っていい

つまり国が安定した利益を得るにはそれなりの戦争が必要になる

しかし今の時代小さな戦いこそ数あれかつてのような大戦は無くなった

国は里を縮小し多くの忍が行き場を失った

忍は戦う為に存在する

国の為に命懸けで働いた見返りがこの有り様だ

"忍び五大国"はまだいい…国も里も大きく信頼もある

他国からの依頼も多く安定している

が…小さな国はそうもいかない

忍里の保有には戦時と同じしかそれに近いレベルで平時にも莫大なコストがかかる

だからと言って里を縮小しすぎれば突然の開戦に対応出来ない

だから
我々"暁"が
作るのだ！

国というものに
属せず

必要な時に
必要なだけの
忍を用意し

さらには
"尾獣"を使い
市場の大きさに
合わせて戦争を
引き起こし

最初は はした金で
あらゆる戦争を
一手に引き受け
戦争市場を牛耳り

必要な力を
持って
あらゆる小国や
小さな里から

金で戦争を依頼として
請け負う組織！

やがて全ての戦争を
コントロールし
独占支配する！

…それに伴い大国の"忍里"というシステムも崩壊…

"暁"を利用せざるを得なくなる…

そしてその先にある本当の目的に我々はたどり着く…

目的の第三段階…

36第十班(完)

忍の道に、"臨"む"兵"より継がれし鬪いの秘伝!!

忍の章

総計120名の忍が集う!
各キャラクターのプロフィールを大公開!!

レーダー表示でキャラの能力が一目瞭然! 任務経験数や趣味なども一挙公開!! 数多の忍がその真の姿を表す!!

術の章

封じられし108の秘術を開封!!
忍術の極意がここにある!!

基本忍術から超高等忍術まで、鮮烈極まる数々の術を徹底分析!! アイコン表示で系統や特性も明解にッ!!

創の章

岸本斉史先生にインタビュー・Q&Aを敢行! さらにコミックス未収録4コマも掲載!!

岸本先生、完全協力!! 知られざる創作秘話が、ついに明かされるッ!!

豪華絢爛! 充実の企画陣!!

◆「NARUTO-ナルト-」の世界を解き明かす! 忍博聞録
◆読者投票の結果大発表!!
名シーングランプリ
隊長になってもらうなら など
◆美麗! 4色イラストギャラリー
◆ナルティメット人物相関図
◆「NARUTO-ナルト-」葉語集

など

■ジャンプ・コミックス

NARUTO —ナルト—

36 第十班

2006年12月31日　第1刷発行
2015年2月17日　第36刷発行

著者　岸本斉史
©Masashi Kishimoto 2006

編集　株式会社　ホーム社
東京都千代田区神田神保町3丁目29番　共同ビル
〒101-0051
電話　東京　03(5211)2651

発行人　鈴木晴彦

発行所　株式会社　集英社
東京都千代田区一ツ橋2丁目5番10号
〒101-8050
03(3230)6233(編集部)
電話　東京　03(3230)6191(販売部)
03(3230)6076(読者係)
Printed in Japan

印刷所　共同印刷株式会社

ISBN4-08-874288-5　C9979

D1541558